당신의 교육철학을
한 권의 책에 담아 드립니다

비사이드 북스

X

교육실천이음연구소

돌아보다
그리고
바라보다

최선희

차례

글쓴이

아이들과 함께 함이 즐겁고,
학교 가는 것이 즐거운
반백살 초등교사
|
최선희

금산 별무리마을에서 찬란한 사계절을 보내며 행복하게 살고 있다. 진정한 자유부인으로 모임도 많고 취미도 많은 주말부부 9년차. 이제 그만 내 사랑과 합치고 싶다!

B

저자인 나와, 독자인 나는 시간을 두고 조금씩 달라집니다. 온전한 나를 소개하는 문장을 찾을 때까지 나에 대한 소개는 수시로 다시 쓰여져야 합니다. 그 부지런한 이해로 당신은 더욱 당신다워질 겁니다.

글쓴이

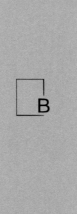

나를 이루어 온 경험은
무엇인가요?

성장과정과 학생 시절의 경험, 특히
교직을 택한 경험을 되돌아봅니다.
자신이 의미를 두는 경험에서 얻은
성찰과 역량을 발견합니다.
그리고 그것이 어떻게 어우러져
지금의 나를 형성해왔는지
인식합니다.

어린 시절의 회상

대화한 날_ 2023. 10. 11.

완성한 날_ 2023. 11. 28.

어린 시절의 회상

나는 광부의 딸로 태어났다. 아버지는 황해도 태생이었는데 중학교 시절 6.25가 발발하면서 누님 한 분과 남한으로 넘어와 홀로 떠돌이 생활을 하셨다고 한다. 그러다가 흘러 흘러 정착한 곳이 강원도 정선군 고한읍 만항이라는 곳이다. 그곳에서 광부 일을 시작하셨고 엄마를 만나셨다. 그 당시 엄마는 결혼을 두 번 실패하시고 딸 하나와 함께 살고 계셨는데 외로움에 지친 아버지는 엄마와 함께 살게 되셨다. 그리고 줄줄이 아이들을 낳고 키우셨다. 셋째가 태어나서 얼마 지나지 않아 죽게 되었고 엄마의 딸이었던 큰 언니를 비롯하여 다섯 명의 아이들까지 총 3남 3녀의 자녀를 이루어 사셨다. 그곳에서의 기억은 눈이 아주 많이 오는 풍경과 탄광 일을 마치고 돌아온 아버지의 시커먼 얼굴. 집 앞길 건너 젖소를 키우던 목장에서 얻어먹었던 비릿한 우유 맛. 모기라는 벌레가 뭔지도 모르고 살았던 서늘한 기온. 바로 위 오빠가 함백산에서 따온 약초를 팔아 용돈을 벌었던 일 등이다. 만항초등학교 1학년에 입학해서 얼마 있지 않아 쉰 살을 앞둔 아버지가 더 이상 광부 일을 하는 것이 버거우셔서 경기도 양평군 양동면으로 이사를 하게 되었다. 그곳에 아버지의 누님인 고모가 살고 계셔서 우리 가족의 정착을 도와주셨고 아버지는 광부에서 농부가 되셨다. 그때의 나를 떠올려 본다. 눈물이 많아 울보라는 별명을 갖고 있던 아이. 아무런 의미가 없는 말에도 그냥 눈물을 짜내던 아이. 울음이 일상이었던 아이

어린 시절의 회상

는 1학년 1학기 때 전학을 가게 되었고 학교에서도 걸핏하면 울어 재껴서 엄마가 복도에 서 있어야만 안심했었다. 그리고 두 달이나 학교에 가지 않았다. 학교가 싫었던 건 아니었던 것 같은데.... 그때의 나는 왜 그랬을까? 무엇이 나를 불안하게 했을까? 지금도 떠오르는 기억 중 하나는 만항국민학교에 다니던 어느 날 내가 연필을 실수로 떨어뜨려 주우려고 버둥거리는 것을 본 뽀글뽀글한 머리의 여자 담임 선생님이 나에게 다가와 나의 뺨을 때린 일이다. 혹시 그 일 때문에 학교 다니는 것이 싫었던 걸까? 아니면 전학을 가서 낯선 환경에 맞닥뜨려서일까?

무엇이 나를 학교 부적응아로 만들었는지 확실치는 않지만 여리기만 했던 어린 시절의 내가 안쓰럽게 느껴진다. 하여튼 더 이상 그대로 두면 안 될 것 같으셨는지 어느 날 아버지는 나를 둘러메고 엉덩이를 퍽퍽 때리시면서 겁을 주셨다. 학교에 가라고! 따뜻하고 다정했던 아버지의 손이 내 엉덩이를 때릴 때 난 알 수 있었다. 아버지가 진짜 화가 난 것이 아니라는 것을. 아버지는 귀여운 막내딸에게 겁을 주려고 아프지도 않은 손 매질을 하고 계셨던 것을. 그래서 아버지에게 처음이자 마지막으로 맞은 매가 마음의 상처로 남지 않았다. 오히려 한 번 더 그 손길을 경험하고 싶다. 지금은 돌아가시고 안 계신 아버지가 너무나 그립다. 아버지의 겁주기가 성공해서 난 그 후로 열심히 학교에 다니기 시작했다. 1학년 2학기가 되어서는 제법 똘똘하게 적응 잘했는지 담임 선생님이 나를 먼발치에서 보시면서 저렇게 학교를 잘 다니는 애가 1학기 때는 왜 그랬을까 하시면서 피식 웃으셨던 기억이 난다. 지금 생각해 보니 아버지의 의미 있는 행동이 내가 학교로 돌아가는 데 결정적 도움이 된 것 같은데 그건 짜증이나 분노가 섞이지 않은 교육적인 사랑의 효과라는 것을 여덟 살의 아이지만 충분히 느꼈기 때문이었을 것이다. 이 시점에서 아버지와의 추억을 기록하고 싶다. 아! 나의 아버지. 아버지를 떠올리는 지금 눈물이 나는 이유는 아버지와의 소소한 추억들이 너무나 귀하고 소중하기 때문이다. 또 아버지가 너무 보고 싶기 때문이다. 우리 아버지 최만금씨는 참 좋은 아버지셨

어린 시절의 회상

다. 마음도 여리고 착하신 분이셨다. 아버지에게 마음껏 애교도 부리고 재롱도 부리고 아양도 떨 수 있었다. 시도 때도 없이 우는 막내딸이지만 싫어하지 않으셨다. 우는 나를 업어주시고 달래주셨던 아버지와 내 모습이 떠오른다. 마룻바닥에서 잠이 들면 아버지가 나를 안고 모기장 안으로 옮겨주셨는데 잠결에 느꼈던 아버지의 품이 너무나 좋았다.

아버지가 사주셨던, 누우면 눈을 감고 세우면 눈을 뜨던 인형도 생각나고, 학교에 다녀오면 아버지의 양반다리에 앉아서 아버지 수염에 얼굴을 비비며 학교에서 있었던 일을 재잘재잘 떠들던 일, 불룩한 아버지 배를 만지며 깔깔 웃었던 일도 생각난다. 몸집이 작을 땐 아버지 오토바이 앞에 앉고, 몸집이 커서는 아버지 오토바이 뒤에 앉아서 여기저기 돌아다녔던 기억. 아버지가 무척 좋았고 아버지도 늦게 낳은 막내딸의 애교에 살살 녹으셨던 것 같다. 그렇게 아버지는 나에게 있어서 세상에서 가장 사랑하는 첫 번째 남자가 되었다. 나는 국민학교 1학년을 지나서는 아주 성실하게 학교에 잘 적응했다. 공부하는 재미도 알게 되고, 스스로 구

구단도 외우고, 곱셈, 나눗셈도 터득했다. 국어도 좋아했다. 국어 교과서에 나오는 글들을 읽으며 글 읽는 즐거움도 느꼈다. 친구들과도 잘 놀았다. 술래잡기, 공기놀이, 구슬치기, 땅따먹기, 고무줄놀이, 말타기, 자치기까지 쉬는 시간만 되면 운동장에 나가서 땀 뻘뻘 흘리며 실컷 놀았다. 학교도 즐거웠지만 자연도 참 좋았다. 학교 끝나면 곧바로 가는 곳은 개울가. 뜨거운 여름, 평평한 돌들을 옮겨 방을 만들어 놓고 그곳에 누워 하늘을 쳐다보다가 더우면 물속으로 들어가 개헤엄을 치며 놀았다. 그때부터 물을 좋아하게 되어 지금도 물만 보면 사족을 못 쓰고 뛰어 들어가고픈 강한 열망을 느낀다. 지금 생각해 보면 선크림 하나 없이 쨍쨍 내리쬐는 햇빛에 얼굴을 들이밀고 있었으니 얼마나 미련한지… 덕분에 얼굴에 주근깨가 가득했지만, 거부할 수 없는 어린 시절 즐거움이었다. 집으로 돌아오면 마당 둘레에 여섯 그루나 있었던 대추나무에 올라가서 놀았다. 그때는 좀 가벼웠나 보다. 지금은 상상할 수 없다. 그때는 사뿐히 나뭇가지에 올라타 아래를 내려다볼

어린 시절의 회상

수 있었다. 위에서 내려다보는 우리 집 꽃밭. 과꽃, 봉선화, 이름을 알 수 없는 노란 키다리 꽃이 참 예뻤다. 그렇게 아무 걱정 없고 즐겁기만 했던 어린 시절을 보냈지만 나이가 들수록 나를 우울하게 만드는 존재가 있었다. 바로 엄마였다. 앞에서 밝혔듯이 엄마는 아버지를 만날 때 이미 두 번의 결혼생활을 마감하고 큰 언니와 단둘이 살고 계셨다.

아마 엄마를 참지 못하고 전남편들이 떠났던 것 같다. 정확한 진단을 받은 것은 아니지만 엄마는 정신 분열 초기 증상을 보였다. 망상과 함께 환청이 들리는 듯 누군가가 자기를 괴롭힌다고 하기도 하고 신경질적인 행동도 많이 하셨다. 특히 가장 나를 힘들게 했던 것은 티브이에서 납치 사건 뉴스를 본 후부터 나에게 미국으로 잡혀갈 것이라고 얘기했던 것이다. 중고등 시절을 지나 내가 결혼하기 전까지 그 얘기는 계속 나를 따라다녔는데 너무너무 괴로웠다. 다른 집 엄마들이 부러웠고, 나의 엄마가 부끄러웠다. 너무 좋은 아버지의 반려자로 엄마는 어울리지 않았다. 여리시고 착하신 아버지가 참다 참다 엄마에게 한 번씩 소리치시거나 밥상을 엎기도 하셨다. 제대로 된 배우자를 만나지 못한 아버지가 불쌍했다. 만약 문제가 없는 아내를 만났다면 얼마나 재미나게 사셨을 아버지인지 알기에 더욱 불쌍했다. 상식이 통하지 않고 답답하기만 한 엄마와 싸우기도 참 많이 싸웠다. 엄마에게 몹쓸 말도 많이 하고, 업신여기기도 많이 했다. 지금 생각해 보면 너무나 못된 딸이었지만 어릴 적 나는 엄마를 견뎌내기가 정말 힘들었다. 엄마는 모든 가족에게 버겁고 힘든 존재였다. 어떤 친한 친구에게조차도 말하지 못했던 숨기고 싶은 비밀. 그래서 나의 어린 시절을 떠올려 보면 행복이 가득했기도 하고 불행이 가득했기도 했던 것 같다. 오십을 바라보는 나이가 된 이제, 돌아가신 엄마가 보고 싶고 그 삶이 불쌍하다. 병으로 인해 가족들을 힘들게 했지만 타고난 모성본능은 누구보다 강한 분이었다. 내가 바라는 엄마는 아니었지만 나를 순수하게 사랑했음을 안다. 그리고 나에게 좀 더 깊은 내면을 갖도록 해 준 성장경험이었다고 생각한다. 그것이 교사로 다양한 제자들을 만나는데도 많은 도움을 준다고 생각한다.

어린 시절의 회상

이 세상의 모든 경험, 이 세상의 모든 만남은 나에게 성장과 성숙을 가져다 주었다.

그런 하루하루를 보내다 고3이 되었다. 막연히 4년제 대학을 가고 싶었지만 뭘 전공하고 싶다든지 어떤 꿈을 꼭 이루고 싶다든지 하는 것은 없었다. 그냥 대학생이 되고 싶었고 붙여주는 곳이 있으면 좋겠다고 생각했다. 그러나 가정 형편이 어려웠었기에 아버지는 전문대를 권유했고, 4년제 원서를 쓰는 기간 동안 나는 전문대에 가려고 수원 큰오빠네로 가서 잠시 머물고 있었다. 그런데 국어 선생님께 전화가 왔다. 졸업식 날 답사를 해주었으면 좋겠다고.

그런데 졸업식 때 답사할 사람이 대학 진학도 확정이 안 된 상태면 보기 그렇다면서 교대에 지원하면 어떻겠냐고 하시는 거다. 내가 94학번 수능 첫 세대인데 마침 그 해 인천교대 입시 전형 중에 시골 면 단위 학교 출신 중에 내신 3등급까지 지원 가능한 특별 전형이 생긴 것이다. 조건은 단 하나, 임용될 때면 단위 학교로 발령을 받아 5년 동안 근무하는 조건이었다. 국어 선생님은 너무 좋은 제도인데 꼭 원서를 넣어보라고 강하게 권유해 주셨다. 그래서 부랴부랴 담임선생님께 원서를 부탁하고 원서 접수 마지막 날 학교까지 갈 시간도 모자라서, 청량리로 기차를 타고 올라오는 후배에게 원서를 전달받아 인천교대로 향하여 마감 시간 30분쯤을 남겨놓고 원서를 접수했다. 그리고 수능 점수가 어림도 없이 모자랐으나 특별 전형 조건에 맞아 합격자 명단에 이름을 올릴 수 있었다. 교사 생활 25년이 가까이 된 지금도 그때를 생각하면 정말 아찔하다. 모든 것이 너무나 감사하고 신기하다. 하나라도 어긋났다면 들어가지 못했을 교대. 교단에 설 수 없었을 텐데. 국어 선생님께도 너무 감사하고, 답사의 적임자로 뽑힐 수 있도록 해준 낭랑했던 내 목소리에게도 고맙다. 무엇보다 이 신비스러운 일을 착착 진행하신, 그래서 기독교사로 세워주신 하나님 아버지께 너무나 감사하다.

어린 시절의 나를 떠올려 보면 쉴 틈 없이 계속 떠오르는 여러 가지의 기억들. 추억들로 머릿속이 가득 차고, 가슴은 뜨겁다. 모든 것을 다 글로 담을 수는 없지만

어린 시절의 회상

글과 또 글 밖에 있는 기억들 모두 나를 충만하게 해주었다. 그리고 다시 한번 깨닫는다. 어린 시절의 나는 지금의 나를 만들어줬고 앞으로의 나를 만들어 갈 것이라는 것을. 그렇기에 너무나 소중하고 잊어버리고 싶지 않은 보물이라는 것을. 짙어 가는 가을만큼이나 짙디짙은 생명력으로 이어져 왔다는 것을.

"어린 시절의 나는

 지금의 나를 만들어줬고

 앞으로의 나를

 만들어 갈 것이라는 것을.

 그렇기에 너무나 소중하고

 잊어버리고 싶지 않은

 보물이라는 것을."

어린 시절의 회상

B

당신은 이 글의 저자인 동시에 독자입니다. 저자인 나와 독자인 나는 만날 때마다 새로운 이야기를 만들어 갑니다. 지금 이 글을 읽는 당신의 생각을 여기에 더해보세요. 그것은 내 손을 떠난 글에 새로운 생명과 생기를 불어넣는 일입니다.

어린 시절의 회상

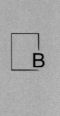

B

나는 교사로서 어떤
이야기를 만들어 왔나요?

과거의 생애로 형성된 가치관이
교직에 들어선 후 수업, 학생,
학부모, 학급, 동료교사 혹은
교사공동체에 어떤 영향을 주어
왔는지 되돌아봅니다.
그 중에서 지금 자신의 교육에 대한
생각과 역량에 영향을 준 경험을
짚어봅니다. 그리고 그것이 어떻게
지금의 나를 형성해왔는지
인식합니다.

묵묵히
교사의 길을 걷다

대화한 날_ 2023. 10. 18.

완성한 날_ 2023. 11. 28.

묵묵히 교사의 길을 걷다

인천교대 교정을 처음 밟던 날, 길가에 걸려있던 플랜카드의 문구 '하나님은 당신을 교사로 부르셨습니다'라는 말이 내 마음을 움직인 이후 대학 생활 내내 나는 교사선교회라는 기독동아리와 함께했다. 1, 2학년 때는 성경의 내용을 공부하고 제자 양육을 받으며 신앙의 기반을 성장시켜 나갔고, 3, 4학년 때는 제자를 삶고 양육하는 일에 힘

썼다. 3학년 겨울수련회 때 하나님께서 나를 정말 기독교사로 부르셨다는 것에 대해 확신하게 되었고, 4학년 임용고시를 치르고 임용을 기다리고 있던 1998년, 처음으로 열린 전국 기독교사대회 때 교사라는 직업과 기독교인이 따로 일 수 없고, '기독교사'로서의 정체성을 확립하는 계기를 마련하게 되었다. 그 후 교단에 선 이후 25년이 지난 지금까지 나는 '기독교사'의 삶을 살아내기 위해 노력해오고 있다. 헨리 반 다이크의 '무명 교사 예찬'이라는 시의 일부를 읽었다. 어떤 문장이나 단어가 기억에 남느냐는 질문에 나는 '묵묵히'라는 단어를 선택했다. 날마다 날마다 쉴 줄도 모르고 나는 묵묵히 교사로써의 길을 지금까지 걸어왔다. 때로는 역량이 너무 부족한 것 같고, 때로는 사랑이 너무 부족한 것 같고, 나보다 다방면으로 뛰어난 선생님들을 볼 때면 열등한 감정이 스며들어 움츠러들기도 했었다. 그러나 내가 만나는 아이들은 '나'만 만날 수 있다. 저명한 교육학 교수, 교육 관련 연구원, 인디스쿨의 인플루언서도 아닌 '나'를 만나 학교생활을 하는 아이들. 제아

묵묵히 교사의 길을 걷다

무리 훌륭한 교육자여도 우리 교실에는 들어올 수 없다. 우리 교실, 우리 반 아이들은 아침마다 나를 기다리고 있고 하루 종일 나와 함께 호흡한다. 그렇기에 나는 너무나 중요한 사람이다. 나의 경험, 나의 지식, 나의 감정, 나의 웃음과 울음, 나의 이야기들이 나의 학생들에게는 그 누구의 것보다 지대한 영향을 끼친다. 그러므로 나는 누구보다 중요하고 소중한 '선생님'이다. 나는 우리 교실에서 더 이상 무명 교사가 아니라 유명 교사이다. 우리 반 아이들에게 나는 가장 유명한 교사이다.

첫 발령지 광명을 거쳐, 부천, 김포까지 경기도 소속 교원으로 근무하다가 9년 전 충남 금산으로 이사를 오면서 충남 소속 교원이 되었다. 교사선교회의 오랜 꿈이었던 기독교 대안학교인 별무리학교를 세우고, 별무리마을을 만들어 함께 살게 되었다. 성경 다니엘서에 나오는 구절 '지혜로운 사람은 하늘의 밝은 별처럼 빛날 것이다. 사람들을 올바른 길로 이끈 사람은 영원히 별처럼 빛날 것이다.'라는 말씀을

토대로 지은 이름이 '별무리'이다. 별무리학교에 자녀를 보내고 나는 금산의 공립학교에서 근무하고 있다. 처음 금산에 왔을 때 경기도에서는 상상하기도 어려운 작은 학교로 발령을 받았다. 전교생이 40명도 채 안 되는 아이들. 도시의 큰 학교와는 많은 것이 달랐다. 쉬는 시간, 양지바른 곳에 나가 머리에 있는 이를 잡아주고, 아침밥을 못 먹고 오는 아이에게 아침마다 먹을거리를 제공하고, 여름에는 개울가에서 수영하고, 겨울에는 눈썰매를 탔다. 다문화 가정 아이들도 많고, 한부모 가정 아이들도 많은 학교. 꼭 나의 어린 시절 다니던 학교와 비슷한 분위기에 나는 오히려 힘이 났다. 왜냐하면 교사로써의 나의 자리가 꽉 메꿔지는 느낌이었기 때문이다. 내가 발 벗고 나서면 아이들에게 많은 것을 경험시켜 줄 수 있었고, 나의 에너지가 아이들에게 쓰일 때 난 살아있음을 느꼈다. 도시에서 근무할 때의 나는 아이들 곁에 있는 다양한 선생님 중 하나의 선생님 같다고 느낄 때도 있었지만 시골 아이들에게는 전적으로 의지해야 하는 꼭 필요한 선생님이다. 그렇기에 조

묵묵히 교사의 길을 걷다

금 더 노력하면, 조금 더 신경 쓰면 아이들이 누려보지 못한 것들을 누리게 해 줄 수 있고, 나의 작은 경험도 아이들에게는 큰 간접경험이 될 수 있었다. 금산에 내려와 제2의 교사의 삶이 펼쳐졌고 나는 교사로 행복하다.

지난 25년 동안 내가 가장 중요하게 가르쳐 온 가치는 무엇인가라는 질문에 처음에는 당황이 되었다. 가르쳐 온 날보다 앞으로 가르칠 날이 더 짧게 남은 지금이지만 한마디로 요약할 수 있는 가치를 말하기가 어려웠다. 어떤 때는 예의가 중요했고, 어떤 때는 존중이 중요했다. 어떤 연수를 받고 오면 그 연수 내용에 공감하며 그것을 녹아내리려고도 했고, 다른 것에 관심이 가면 그것에 집중했다. 딱히 내 것이라고 할 만한 가치가 생각나지 않아서 당황스러웠다. 그러다 곰곰이 생각해 보니 떠오르는 단어가 하나 있다. '친절함' 나는 친절한 선생님이 되고 싶었다. 자연스럽게 배어 나오는 미소와 다정한 말투. '널 소중하게 여기고 있어'라고 말하는 따뜻한 눈빛. 처음엔 의심하던 아이들도 조금만 시간이 지나면 '우리 선생님은 참 친절하셔' 하고 느낄 수 있는….

어쩌면 많은 아이를 일사불란하게 소위 잡으려면 얼굴은 매섭게, 목소리는 냉정하게, 줄을 세우고, 각을 잡으면 될 일이다. 실제로 그렇게 했던 적도 있었다. 기분 좋게 출근했지만 교실 복도를 지날 때부터 화난 표정을 억지로 짓고 웃음기를 없앤 후 앞문을 열고, 교실을 한번 쭉 살핀 후 차갑게 자리에 앉아서 하루를 시작했었던 적이 있었다. 그러면 아이들은 입도 뻥긋 못한 채 아침 자습에 몰두하고 내 눈치를 살핀다. 교실은 조용하고 업무는 잘 되었지만, 스스로도 어이가 없었다. 도무지 내 진심도 아이들의 진심도 교환할 수 없는 적막한 교실. 그래서 그런 방법은 금방 때려치웠다. 나에게는 맞지 않는 방법이었다. 난 환하게 웃으며 아침 인사를 하고 싶고, 아이들과 눈을 맞추며 어제 있었던 일로 수다를 떨고 싶고, 한 명 한 명에게 안부를 묻고 싶다. 거기에 유머 한 방울을 섞으면 정말 좋다. 아이들의 눈높이에서 웃음을 유발할 수 있는 말장난도 좋다. 아이들과 깔깔거리며 웃는 웃음은 가식이 없는 진짜 웃음이다. 그런 웃음을 자주자주 웃도록 해주고 싶다. 가족이 아닌 남과 딱딱한 의자에 앉아 하루 종일 있어야 하는 학교에서 긴장하지 않고 마음을 터놓고 이야기하고 편안하게 지낼 수 있도록 도와주고 싶다. 꼭 말로 친절을 가르치지 않아도, 또 당장 내 마음을 몰라준다고 할지라도 마음에서 우러나오는 아이들을 향한 사랑과 존중과 친절함이 아이들의 마음에 언젠가는 닿으리라 믿는다. 그리고 어느새 자신들도 타인에게 친절한 사람이 되고 싶다고 느낀다면 얼마나 감사한 일인가?

"날마다 날마다 쉴 줄도 모르고
나는 묵묵히 교사로써의 길을
지금까지 걸어왔다."

묵묵히 교사의 길을 걷다

B

당신은 이 글의 저자인 동시에 독자입니다. 저자인 나와 독자인 나는 만날 때마다 새로운 이야기를 만들어 갑니다. 지금 이 글을 읽는 당신의 생각을 여기에 더해보세요. 그것은 내 손을 떠난 글에 새로운 생명과 생기를 불어넣는 일입니다.

묵묵히 교사의 길을 걷다

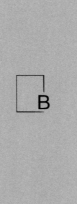

내게 배운 학생들은
어떤 세상에서 살까요?

우리 사회가 어떠한 곳이 되기를
바라는지 생각해봅니다. 정치, 경제,
문화 등 사회의 각 영역에 대한
관점에 영향을 준 일들을
짚어봅니다. 그를 통하여 어떤
가치관을 형성해 왔는지
성찰합니다. 그에 비추어 현재
우리 사회의 모습을 볼 때 발견하는
괴리를 인식합니다.

내가 바라는 미래

대화한 날_ 2023. 10. 25.

완성한 날_ 2023. 11. 28.

내가 바라는 미래

오늘 6교시 수업을 마무리하며 우리 반 아이들에게 물어봤다. 너희들은 우리나라에서 태어난 것에 대해 어떻게 생각하니? 보기를 줄게. 1번 대박. 2번 괜찮은 편. 3번 조금 운이 나빠. 4번 이번 생은 망했음.

10명의 아이 중 1명은 대박, 6명은 괜찮은 편 3명은 대답 회피

대박이라고 대답한 아이는 예전에 보았던 영상 중에 중국에서 미역국을 끓였는데 그것이 알고 보니 비닐

로 만든 미역이었다는 내용을 말하면서 우리나라는 그래도 먹거리가 안전한 것 같다고 하였다. 괜찮은 편이라고 답한 아이 중에는 우리나라는 치안이 좋다고 이야기했고, 다른 친구는 다른 건 다 좋은데 우리나라가 다른 나라보다 공부를 많이 해야 하는 것 같아서 그게 아쉽다고 이야기했다. 내가 근무하는 충남 금산의 작은 시골 학교의 아이들, 지금까지 태어나서 한 번도 학원에 다닌 적이 없는 아이들이지만 공부나 입시에 대한 압박감은 있나 보다. 같은 질문에 나도 2번이라고 답했다. 헬조선이라는 말이 수년 전부터 유행처럼 쓰이고 있지만 그 낱말을 들을 때마다 우리나라를 너무 부정적으로 생각하는 시선에 맘이 안 좋았다. 물론 사회 구조적인 문제로 인해 어떠한 치명적인 불행을 만났다면 나도 그렇게 생각했을 수도 있겠지만 나는 우리나라에서 태어난 것이 그래도 아직은 괜찮은 편인 것 같다. 노력하면 삶을 영위해 갈 수 있는 나라. 상식이 통하는 나라. 경제적으로도 선진국 대열에 올라서 있다. 우리나라에 비해 정말 많은 나라들이 빈곤과 기아에

내가 바라는 미래

허덕이고 있으며 생활 수준도 열악하고 범죄에도 노출되어 있다. 그런데 이렇게 좋은 나라에 살고 있지만 스스로는 행복하지 못하다고 생각하는 사람들이 많은 것 같다. 무언가에 쫓기든 빨리빨리 진행되는 삶을 살고 있으며, 소위 성공이라는 것을 향해 무조건 달려가는 사람들도 많다. 거기에 하루가 멀다 않고 들려오는 비상식적 소식들에 가슴이 아프고, 눈이 휘둥그레질 때도 많다. 자살률 1위, 가족 간 잔혹한 범죄, 청소년들의 일탈 행위, 삶 속 깊숙이 들어와 있는 마약, 약물 문제 등도 놀라운 뉴스거리 들이다.

　　우리 학생들이 살아가고 있는 지금의 시대를 좀 더 살펴보자. 오래전부터 문제로 대두되었지만, 여전히 이어지고 있는 좋은 대학만을 목표로 하는 경쟁적인 입시 위주의 교육, 좋은 직장을 얻기 위한 스펙 쌓기에 몰두하는 현실, 저출산과 고령화 문제, 기후 위기, 남녀 갈등, 양극화 문제 등 정말 많은 문제가 즐비해 있는 시대이다. 현대 사회를 일컫는 말로 불확실성의 시대라는 말이 있다. 국어사전에서는 '변화가 극심하여 미래를 예측할 수 없는 상태의 시대'라고 정의하고 있다. 우리 학생들이 살아가고 있는 시대는 그야 말로 불확실성의 시대, 혼란의 시대라고 할 수 있다. 확실한 미래와 질서가 바로잡힌 시대를 갈망하는 대부분 사람에게 이 시대는 불안과 어둠을 줄 수밖에 없을 것 같다. 그리고 그러한 갈망은 다른 사람들과의 비교를 통해 스스로 우월하게 느끼도록 하는 장치를 지속해서 만들어 내려고 한다. 행복한 순간, 높은 경제 수준, 남들이 부러워할 만한 어떤 것을 개인 SNS에 올리면서 자신은 지금 행복하다고, 확실한 미래와 질서가 잡혀있는 삶을 살고 있다고 스스로, 그리고 남들에게 최면을 거는 듯하다.

　　MZ세대라는 말이 몇 년 전부터 사용되기 시작하더니 요즘엔 알파 세대가 명명되었다. MZ세대들은 자라면서 스마트폰을 접하게 된 세대라면 알파 세대들은 태어나면서부터 스마트폰, 인공지능이나 로봇 등이 그들의 삶에 큰 영향을 끼치는 세대이다. 디지털 신인류라고 불리는 알파 세대는 가상 세계, 가상 현실을 창조해 내는 능력이 있고, 그 안에서 가상 친구들을 만나는 세대라고 한다.

　　내가 바라는 미래

이러한 알파 세대는 디지털 중독, 사회성 결여, 공감 능력 저하, 신체 건강의 문제 등이 나타날 수 있다.

　　　X세대인 나와는 너무나 다른 세대를 내가 가르치고 있고, 앞으로 가르치게 될 텐데, 나는 다음 세대들이 어떤 세상에서 살길 바라는가? 제일 먼저 떠오르는 것은 내가 가르칠 학생들, 내 자녀가 살아갈 세상은 안전한 세상이길 바란다. 육체의 안전은 물론이거니와 영과 혼이 안전한 세상이길 바란다. 육체를 위협하는 것들이 세상에 널려있다. 영과 혼을 무너지게 하는 것들이 우리 주위에 난무해 있다. 영혼육 안전하게 지키기 참 어려운 시대를 살아가고 있고, 우리 자녀들이 살아갈 미래는 더욱 그러할 것이다. 손을 뻗으면 너무나 쉽게 영 훈육을 망가뜨릴 수 있는 것들이 많다. 손을 뻗지 않았음에도 파고들어 오는 것들이 있다. 이러한 것들에게서 안전할 수 있는 세상이면 좋겠다. 자신이 갖고 있는 올바른 가치관을 지켜나갈 수 있고, 쉽게 흔들리지 않을 수 있으며, 건강한 육체로 희망을 꿈꿀 수 있는 그러한 세상이 되길 바라본다. 또한 안전한 공동체가 있으면 좋겠다. 혼자 힘

으로 유해한 것들을 물릴 칠 수 없을 때 함께 싸우고 붙잡아 줄 공동체, 자신의 허물을 내어놓아도 안전한 공동체. 자신의 어려움을 내어놓고 도움을 받을 수 있는 공동체. 남의 어려움에 자기 일처럼 발 벗고 나설 수 있는 공동체가 이곳저곳에 많이 생겨났으면 좋겠다.

다음으로 꿈꾸는 시대는, 지켜져야 할 가치들이 당연히 지켜지는 시대였으면 좋겠다. 서로 존중하고 배려하며 양보할 수 있는 사람들이 많아지길 바란다. 자기 행복만을 위해 다른 사람들을 괴롭히는 것이 아니라 더불어 행복하기 위해 노력하는 사람들이 많아지면 좋겠다. 각자의 위치에서 성실하고 책임감 있게 행동하며 본연의 취지에 맞게 자신의 자리를 지키고 이끌어가는 사회면 좋겠다.

그렇다면 이러한 세상을 이루어 가기 위해 학생들에게 필요한 교육은 무엇일까? 먼저는 자신이 소중하고 귀하다는 것을 인식하는 자존감 교육이 필요하다고 생각한다. 있는 그대로 자기 모습을 사랑할 수 있고, 남들과 비교하지 않으며 사람마다 고유의 개성과 태어난 목적이 있음을 깨닫도록 돕는 교육이 필요하다. 둘째, 다른 사람들과 함께 소통하고 공감할 수 있도록 돕는 사회적 공감 교육도 필요하다. 특히 디지털 세대들에게 소통과 공감 능력은 정말 중요하다. 인공지능이 아무리 발달하여도 사람과 사람을 이어주는 공감과 감성, 따뜻함과 사랑은 그것에게는 없다. 사람만이 가지고 있는 본연의 아름다움을 나눌 수 있는 능력을 키우는 교육이 절실하다. 셋째, 단순 지식 전달 교육을 넘어 가치 전수 교육이 필요하다. 시대마다 변하는 가치 속에서도 변하면 안 되는 가치를 찾아 다음 세대들에게 전수하여야 한다. 그러려면 올바른 가치가 무엇인지, 변하지 않아야 하는 가치가 무엇인지 찾는 작업이 필요하고 그 가치를 실천했을 때 이 세상이 어떻게 올바르게 지속되는 지를 보여줘야 할 것이다.

　　위에서 말한 교육들이 교육 과정 속에 녹아져서 교육될 수 있을까? 학교에서 선생님들이 가르칠 수 있을까? 어렵다면 누가 가르쳐야 하는가? 글을 마치려 하는 지금 선생으로서 나의 고민이 깊어진다.

"내가 가르칠 학생들,

내 자녀가 살아갈 세상은

안전한 세상이길 바란다."

내가 바라는 미래

당신은 이 글의 저자인 동시에 독자입니다. 저자인 나와 독자인 나는 만날 때마다 새로운 이야기를 만들어 갑니다. 지금 이 글을 읽는 당신의 생각을 여기에 더해보세요. 그것은 내 손을 떠난 글에 새로운 생명과 생기를 불어넣는 일입니다.

내가 바라는 미래

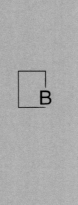

학교는 어떤 곳이
될 수 있을까요?

우리 교육이 마땅히 그러하길
바라는 모습을 상상해봅니다.
교육에 대한 자신의 철학을
형성하게 한 일들을 되짚어봅니다.
그를 통하여 어떤 교육철학을 갖게
되었는지 성찰합니다. 현재 우리
교육이 가진 괴리를 인식합니다.

미래교육을
말하다

대화한 날_ 2023. 11. 1.

완성한 날_ 2023. 12. 1.

미래교육을 말하다

미래 교육이라는 말을 들어보기는 하였으나 한 번도 제대로 고민해 본 적은 없었다. 미래가 어떻게 될지도 잘 생각하지 않고 사는 나에게 교육까지 덧붙여서 생각해 보려고 하니 어렵다. 미래를 향해 달려가고 있지만 거기에 다다르면 미래는 곧 현재가 된다. 난 현재에 충실한 편이다. 하루하루를 묵묵히 주어진 것에 열심히 사는 편이다. 교사로서의 나의 삶도 비슷하다. 오늘 가르쳐야 할 것들을 이틀이나 하루 전에 준비해서 가르친다. 종종 준비했던 것보다 더 좋은 아이디어가 떠오르면 즉흥적으로 무얼 할 때도 많다. 이런 나에게 미래 교육을 논하는 것은 버겁다기보다는 영역 밖의 일인 것 같다. 하지만 미래는 올 것이고 나는 미래의 아이들을 가르칠 것이기에 이제 나의 영역 밖의 일이라고 생각해 왔던 미래 교육을 나의 영역 안으로 끌고 와 진지하게 고민해 봐야겠다.

임용고시를 치르고 기간제 교사를 할 때 일이 생각난다. 선배 선생님과 함께 차를 타고 가던 중 미래 교육에 관해 이야기를 나누게 되었다(물론 그때 '미래 교육'이라는 말은 사용하지 않았다) 선배 선생님께서는 앞으로 교실에서 아이들을 가르칠 때 인터넷을 하지 못하면 가르칠 수 없을 것이라고 하셨다. 액셀이나 파워포인트를 하지 못하면 굉장히 큰 곤란에 빠질 것이라고도 하셨다. 그 얘기를 듣고 난 후 그날 꽤 오랜 시간 동안 걱정에 휩싸였던 기억이 난다. 컴맹이나 기계치까지는 아니어도 그런 것들과 별로 친하지 않은 나에게는 실로 걱정되는 일이 아닐 수 없었다. 좋은 교사가 되고자 부푼 꿈을 안고 발령을 기다리고 있었는데 단지 컴퓨터 프로그램을 못 다룬다고 교육을 할 수 없을 거라니!

1년 후 1999년에 정식 발령을 받게 된 그 해에 우리나라에 본격적으로 인터넷이 보급되면서 '다음', '네이버' 등과 같은 포털사이트들이 등장했고 누구나 쉽게 인터넷을 사용할 수 있게 되었다. 나도 걱정했던 것과는 달리 인터넷도 잘 사용했고, 컴퓨터 프로그램을 깊이 알지는 못했지만 어려움 없이 수업 자료로 활용할 수 있었다. 20여 년이라는 세월 동안 걱정했던 것들 때문에 나의 가르침이 멈췄던 적은 한 번도 없었다. 오히려 테크놀로지를 통하여 많은 도움을 받고 더 풍성한 수업을 할 수 있었던 것 같다.

그리고 20여 년이 지난 몇 해 전 코로나19를 겪었다. 말 그대로 어느 날 갑자기 사상 초유의 일이 벌어진 것이다. 교실에 아이들이 없고, 나 혼자만 덩그러니 앉아 있게 되었다. 세상이 모두 비상에 걸렸지만, 그중에서도 가장 혼란스러운 공간 중 하나는 학교였다. 그도 그럴 것이 전쟁이나 천재지변이 아니고서는 학교는 지금까지 멈춰선 적이 없었다. 그런데 전염병으로 인해 학교가 멈췄고 아이들은 더이상 학교에 오지 않게 된 것이다. 갑자기 들이닥친 위기 앞에 미래 교육은 생각보다 훨씬 빨리 교실로 찾아왔다. 영화에서만 봤던 화상수업이 개설되었고 나도 처음엔 낯설어했지만, 곧 익숙하게 사용하게 되었다. 이러한 테크놀로지를 기반으로 한 교육이 미래 교육일까? 내가 꿈꾸는 미래 교육은 어떤 것인가? '미래 교육'이라는 단어는 고도의 기술과 인공지능이 겸비된 교실 수업을 상상하게 만든다. 하지만 내가 추구하는 미래 교육은 그런 것이 아니다. 미래를 살아갈 나의 학생들이 그 미래를 살아낼 힘을 길러주는 교육을 미래 교육이라고 명명하고 싶다. 사람들과 소통할 수 있는 능력, 고통 속에서도 잃지 않는 용기, 어려움을 만났을 때 쉽게 포기하지 않는 극복의 힘, 소소한 일상에서 아름다움을 찾아내는 감성, 타인에게 안부를 물을 수 있는 여유와 잔잔한 미소를 나의 제자들이 지니고 있으면 좋겠다. 또 내가 가르치는 아이들은 학교에서 배운 것을 실제의 삶에 적용하면서 살았으면 좋겠다. 단지 한 단게 높은 곳을 오르기 위한 지식 습득이 아닌, 배운 것이 곧 삶이 되면 좋겠다. 교실에서 배우는 다양한 가치 중에 어느 것 하나라도 공감이 되고 습득이 되어 자신과 타인에게 적용이 되는 교육이 이루어지길 바란다. 그러려면 그것을 적용해 보아야 하고 그러기에는 교실이 가장 좋은 적용 장소일 것이다. 그렇기에 아무리 화상 수업이 발달하고, 가상현실을 추구한다고 해도 얼굴과 얼굴을 맞대고 만나는 대면 교육은 멈춰서는 안 된다고 생각한다. 요즘 6학년 우리 반 친구들과 국어 시간에 다양한 가치를 많이 배웠다. 양보, 배려, 존중, 희생, 열정, 용기, 믿음 등. 그런데 청소 하나를 정하려고 해도 자기가 하고 싶은 것을 먼저 하려고 하는 아이들을 본다. 양보와 배려와 희생이라는 가치를 배웠지만 실제 삶에는 그 가치들이 아무 소용이 없을 때도 많다. 그렇다면 그 교육은 교과서 안에만 머물러 있는 교육이 되고 만다. 아이들이 배운 것들이 아이들의 생활 속에서 실제로 살아내지는 미래 교육을 꿈꿔본다.

그 꿈에 아이들의 모습이 가까워지려면 어떤 노력

을 기울여야 할까? 문현선 작가의 책 '삶에서 앎으로 앎에서 삶으로'의 글 중에 한 문장을 옮겨본다. "앎은 삶에서 옵니다. 삶에서 체득한 경험을 고르고 바르고 가려서 얻어지는 것이 앎이라면, 앎은 우리 삶의 일부가 되지 않는 한 여전히 흰 종이 위에 까맣게 적힌 빼곡한 글자에 불과한 게 아닐지 생각해 봅니다. 앎이라는 건 결국 살아보지 않고는 진짜로 얻어지지 않는 건지도 모르겠습니다" 이 글처럼 앎이 글자가 아닌 삶의 일부가 되려면 알고 있는 것을 살아보아야 할 것이다. 학교에서 이러한 교육이 이루어지려면 경험과 체험 위주의 교육이 활발하게 일어나야 한다고 본다. 직접 겪어보도록 하고 의도적으로 어떠한 상황에 놓이도록 하면 좋겠다. 또한 의도하지 않아도 다양한 경험들이 활발하게 일어나도록 일률 단편적인 수업을 지양하고 친구들과 부대끼며 놀 수 있는 놀이 수업도 많아지면 좋겠다. 그 속에서 아이들은 다양한 감정들을 느끼고 올바른 가치관을 찾는 작업을 스스로, 친구들에게서 또 선생님으로부터 배울 수 있으리라 기대해 본다. 앎이 삶이 되기 위해서도 무엇보다 중요한 또 다른 한 가지는 독서와 글쓰기이다. 글을 통한 경험과 배움을 거기서 끝내지 말고, 이후 자기 삶의 현장 속에서 적용할 수 있는 부분들, 내가 달리할 수 있는 부분들을 글로 써보는 것이다. 자신에게 적용하기 위한 글을 쓰려면 필연적으로 자신이 배운 것에 대해 반복해서 생각해 볼 수밖에 없게 되고 그래서 그 반복적인 생각과 글이 차곡차곡 쌓여갈 때, 앎이 점차 삶이 되어 가는 것이다.

내가 꿈꾸는 이러한 미래의 교실을 위해 나는 어떤 전문성을 가졌는지 생각해 본다. 앞에서 말한 것처럼 뛰어난 테크놀로지교육을 잘해 낼 능력은 부족하다. 몇 년에 한 번씩 새로운 교육과정이 등장하여 나의 맘을 잠시 혼란스럽게 만들기도 한다. 그러나 그러한 것들은 그리 중요한 것은 아니다. 정말 중요한 것은 아무런 성찰 없이 시간을 보내버리는 것, 타성에 젖는 것을 타파하는 것이다. 국어사전에 보면 성찰이란 자기의 마음을 반성하고 살핌. 타성이란 오래되어 굳어진 좋지 않은 버릇. 또는 오랫동안 변화나 새로움을 꾀하지 않아 나태하게 굳어진 습성을 말하고 있다. 교사로서 자주 자신의 일과를 돌아보고, 가르침을 돌아보고, 아이들과의 관계를 돌아보는 성찰은 너무나 중요하다. 함께하는 공동체원들과 교육에 대해 고민하고, 나누고, 실행해 보는 것으로 타성에 젖는 것을 방지할 수 있다. 그냥 아무런 생각과 반성 없이 집과 학교를 오고 간다면 그것이야말로 미래 교육의 성공을 방해하는 최대의 적이 될 것이다. 조금 서툴러도 괜찮고, 부족해도 괜찮다. 내가 못 하면 잘하는 선생님과 협업하면 된다. 성찰과 근성이야말로 나를 미래 교육으로 이끄는 힘이 될 것이다.

"정말 중요한 것은

아무런 성찰 없이 시간을

보내버리는 것, 타성에 젖는 것을

타파하는 것이다."

B

당신은 이 글의 저자인 동시에 독자입니다. 저자인 나와 독자인 나는 만날 때마다 새로운 이야기를 만들어 갑니다. 지금 이 글을 읽는 당신의 생각을 여기에 더해보세요. 그것은 내 손을 떠난 글에 새로운 생명과 생기를 불어넣는 일입니다.

미래교육을 말하다

미래교육을 말하다

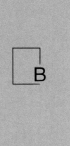

교사인 나를 둘러싼 환경은
어떠한가요?

우리 사회와 교육이 가지길 바라는
모습을, 나의 차원에서 실현하기에
주변 환경이 어떠한지 살펴봅니다.
자신의 교육철학을 이루기에
도움이 되는 환경과 제약이 되는
환경을 짚어봅니다.

내가 사랑하는 학교

대화한 날_ 2023. 11. 8.

완성한 날_ 2023. 11. 28.

내가 사랑하는 학교

학교는 나에게 어떠한 곳인가? 아침에 눈을 뜨면 오늘도 여전히 갈 곳이 있어서 좋다. 그리고 그곳이 학교여서 더욱 좋다. 체질상 아무 할 일 없이 시간이 주어지면 좀 힘들어하기도 하는 나는 내 몸과 마음을 빼앗길 수 있는 학교를 좋아해 왔다. 그렇다고 학교에서의 만남이 모두 다 좋았던 건 아니다. 갈등이 빚어질 때도 있었고 나와 다른 교육관을 가지고 있는 선생님들의 눈초리를 느끼며 마음이 작아지기도 했었다. 그렇지만 주어진 일을 열심히 하는 편이고, 아이들을 좋아하는 나는, 역량을 끌어내어 나의 교육안에 녹여낼 수 있는 공간인 학교를 참 좋아한다.

이렇게 나의 일상 대부분을 차지하는 나를 둘러싼 학교의 환경을 생각해 본다. 먼저 학교 구성원들이 떠오른다. 관리자들. 선생님들, 교육 가족들. 10여 년 전 짧게 혁신학교에 근무했었던 적이 있었는데 혁신학교 연수에 참여했을 때의 일이 떠오른다. 교장선생님들의 마음가짐이 천차만별이었다. 자신들이 혁신할 것이 뭐가 있느냐며 불만을 품는 분, 아무 생각 없이 왔다가 연수를 받은 후 자신의 학교 경영 철학이 많이 바뀌었다고 하는 분, 교장부터 혁신해야 학교도 혁신이 될 것 같다고 하는 분 등.

그전까지만 해도 자신의 안일과 영화만 바라보며 관리자가 된 분들을 여럿 만났었던 나는, 진정성 있게 자신의 혁신을 결단하고 학교 경영을 해 보겠노라고 눈빛을 빛냈던 몇몇 교장선생님들의 고백에 눈물을 흘렸다. 나와는 전혀 근무를 같이할 가능성이 없는 분들이었지만 교육에 대해 진지하게 고민하고, 관리자로서 어떻게 존재해야 하며, 변화를 두려워하지 않고 도전해 보려고 하는 관리자들을 보게 된 것만으로도 가슴이 벅찼던 것 같다. 나는 그런 관리자들을 높이 평가한다. 아이들 가르치는 것이 힘들고 지겨워서 또는 누구나 바라는 성공의 길 중 교직 사회에서의 성공의 길을 가고자 관리자가 된 사람들이 아닌, 학교의 최고 경영자로써 교육철학을 가지고 여전히 가슴에는 아이들을 사랑하는 마음으로 자리만 바뀌었지 마음은 한결같은 그런 관리자를 존경하게 된다. 반면 싫어하는 부류의 관리자도 있다. 생색내는 것을 좋아하는 타입이다. 코로나19로 인해 졸업식과 학예회를 학부모님 없이 우리끼리 진행한 적이 몇 해 있었는데 정말 아무 관심이 없었던 교장선생님. 준비하는 선생님을 존중해서가 아니라 손님들이 없어서 대충해도 된다고 생각하는 것 같아서 기분이 언짢았었다. 그러다 다시 손님들이 찾아오게 되니 보여주기식의 생색내기에 급급하여 아이들에게 교육적인지, 아이들이 즐거워하는지는 생각하지 않고 그저 잘하기만을 주장하는 모습에 실망이 컸다. 그 어떤 행사도 본연의 의미가 퇴색된다면 안 하느니만 못한다는 생각이 든다. 관리자는 모든 교육 본연의 의미를 잘 이해하고 있어야 하며 투철한 교육철학이 있어야 한다. 그래서 참 힘든 자리이기도 한 것 같다. 우리나라의 학교 관리자들에게 바라는 바이다.

경기도에서 16년 동안 근무하고 충남 금산으로 내려왔다. 금산으로 발령을 기다리면서 경기도에서 근무할 때처럼 학급 수도 많고 금산읍 중심에 있는 학교로 발령이 났으면 좋겠다고 생각했었다. 그러나 처음 발령이 난 곳은 전교생 50명도 되지 않는 작은 시골 학교 금산 남이초등학교였다. 발령을 받고 처음 찾아가는 길이 꼭 유배를 떠나는 길인 것 같았다. 대관령 버금가는 고개를 넘어가는 길. 수도권에서 근무할 때는 대중교통을 이용하여 출퇴근했는데 금산에 내려오니 운전해야 했다. 오랫동안 장롱에 묵혀 둔 운전면허증을 꺼내 들고 처음으로 자동차를 끌고 출퇴근했다. 그렇게 나의 교육환경이 180도 바뀐 적은 처음이었다. 도시에서 시골로, 큰 학교에서 작은 학교로, 학급 아이들도 30명 이상에서 10명 미만으로, 대중교통 출퇴근에서 자가용 출퇴근까지. 두근거리는 마음으로 시작한 남이초등학교에서의 학교생활은 처음의 걱정과는 달리 근무하는 5년 내내 너무나도 즐거운 시간이었다. 일단 동료 선생님들과 합이 너무나 잘 맞았다. 경기도에서 근무할 때는 마음의 거리가 멀어 잘 가지 않던 교무실에 시간이 날 때마다 자리 잡고 앉아서 이야기를 나누었다. 집안 얘기도 하고, 농담 따먹기도 하면서 웃음꽃을 피우는 것도 즐거웠지만 무엇보다 이야기의 중심에는 항상 아이들이 있었고, 업무 이야기가 있었고, 교육 이야기가 있었다. 딱딱한 교직원 회의에서 공식적인 말하기로 업무를 지시받고, 의무적으로 말해야 하는 경직된 회의 문화가 아닌 언제든지 자연스럽게 학교 이야기를 할 수 있고, 교육에 관해 얘기할 수 있고, 아이들을 위해 어떤 행사를 할지 이야기할 수 있었다. 편안하고 따뜻하기마저 한 공간이 교무실이라니! 나처럼 교실에 혼자 있기를 좋아하는 사람도 자꾸만 가고 싶어지는 곳이 교무실이라니! 그것이 가능했던 이유는 이상하리만큼 합이 잘 맞는 교육 가족이 있었기 때문이었다. 동학년이 없으니, 자신이 운영하고 싶은 대로 학급을 운영하고, 얼마든지 학급교육 과정을 자유롭게 자신의 교육철학에 맞게 재구성할 수 있었다. 그것에 대해 눈치를 주는 동학년 교사들이 없어서 자유로웠다. 맡은 업무의 행사를 추진할 때도 귀찮아하지 않고 어떻게 하면 아이들에게 좋은 체험, 행사가 될 수 있을까 함께 고민했다. 우리는 교무실에서 자주 무얼 해 먹었다. 가죽 부침개, 옻닭, 남이통닭, 잔치국수 등. 또 운동도 함께 하고, 회식도 자주 하고 교직원 여행도 자주 갔다. 함께 음식을 나눠 먹고, 시간을 함께하며 정을 쌓으니, 업무로 인한 오해가 생길 틈도 없고 다른 사람의 업무도 자기 일처럼 도와주고 싶게 되었다. 당연히 학교가 좋고, 출퇴근 길이 즐거웠다. 남이초에서의 경험을 통해 학교의 교육 환경을 다시 생각해 본다. 소통이 얼마나 중요한지. 마음을 한껏 연 소통. 친해지는 것이 얼마나 중요한지. 자신의 이야기도 들려주고 다른 사람의 이야기도 경청하며 진심을 담아 친해지는 것. 남이초에서 근무하는 것이 나에게는 큰 자부심이었고 행복이었다. 학교의 주변 환경도 너무나 아름다웠다. 출퇴근길마다 뚜렷한 사계절의 변화를 보며 자연과 함께하는 시간이 너무나 좋았다. 운동장에서 바라본 옆 산의 연둣빛들이 얼마나 고결한지. 아이들과 함께 개울가로 수영하러 가면 그 또한 얼마나 즐거운지. 별이 쏟아지는 학교 운동장에서 별빛 축제도 열고, 학교 텃밭에 고구마, 옥수수, 땅콩 심고 수확의 기쁨을 누리던 일. 남이초에서의 5년은 나에게 축복 그 자체였다. 그래서 5년이 지나고 다른 학교로 옮겨야 할 때도 최대한 남이초와 비슷한 환경의 학교를 찾으려고 했다. 그다음 학교가 현재 근무하고 있는 제원초이다.

남이초를 떠나오면서 들었던 말 중에 기억나는 말이 있었다. 모든 학교가 남이초 같지는 않다고. 다른 학교에 가면 교직원들도 다르고, 어려운 학년, 어려운 업무를 맡을 수도 있으니, 마음을 단단히 먹으라는 말이었다. 제원초에의 1년은 그 말뜻을 생생하게 느끼는 한 해였다. 6학년을 맡아줬으면 해서 그러겠노라고 했다. 아이들은 단 세 명. 그런데 그 세 명의 아이의 면면이 너무 달랐다. 한 명의 남자아이는 부진아. 두 명의 여자아이는 지적 장애아. 두 명의 여자아이 중 한 아이의 심한 집착과 망상 증세로 1년 내내 정말 힘들었다. 한 시도 혼자 두지 못할 정도로 심한 문제 행동으로 항상 손을 잡고 다녀야 했고, 남이초에서는 점심시간마다 수시로 드나들던 교무실에는 점심시간 동안 1년 내내 한 번도 가보지 못하였다. 공부도 전혀 할 수가 없었고, 그저 아무 일 없이 하루를 잘 보내기만 바랄 뿐이었다. 나 스스로 참 고생을 많이 하고 있다는 생각이 들었지만, 겉으로 표현을 많이 안 해서인지 관리자들이 별로 신경을 안 써주는 것 같아서 보란 듯이 사유란에 정신과 진료라고 쓰고 병조퇴를 한 적도 있다. 그랬더니 조금 걱정을 해 주는 것 같긴 했다. 그렇게 폭풍 같은 1년을 보내고 그 후로 3년 동안 계속 6학년을 맡고 있다. 정말 학급 아이들 세 명으로 인해 나의 교육 환경이 이렇게 바뀌다니, 전무후무한 경험이었다. 2023년 올해는 11명의 6학년을 가르치고 있다. 1명의 발달장애와 나머지 10명의 아이들이 정말 사랑스럽다. 경기도 근무 시절 고학년을 맡게 되면 얼굴을 붉히고 성질을 내던 때가 자주 있었던 것 같은데 올해 우리 반 아이들과는 언제나 웃음꽃이 핀다. 6학년이 이렇게도 착하고 예쁠 수가 있구나 싶다. 말도 많고 시끄럽지만, 그 말 내용들이 밉지 않은 말들이다. 적당히 순수하고, 적당히 6학년답다. 말도 잘 통하고 내가 이끄는 대로 열심히 따라와 주는 아이들. 그러면서도 스스로 친구들과 협동할 줄 아는 아이들. 무엇보다 유치원부터 초등학교 6년 동안 한결같이 학급의 발달장애 친구를 도와주고 괴롭힘이란 찾아볼 수 없고 오히려 받아주는 아이들의 모습이 감동적이다. 졸업식 날을 생각하면 벌써 눈물이 앞을 가린다. 선생님과 제자로 만날 수 있게 되어 정말 행복했다.

나는 금산에 와서 제2의 교직 생활을 새롭게 하게 된 것 같다. 경력이 쌓이고 나이가 들어서 마음에 여유가 생긴 것도 있겠지만 아직 순수함이 남아있고 정이 남아있는 시골 학교 아이들을 만나서 그런 것 같기도 하다. 앞으로 남은 시간도 작은 시골 학교 아이들과 함께 행복하게 채워나가고 싶고, 행복하게 마무리하고 싶다.

"아침에 눈을 뜨면

　오늘도 여전히 갈 곳이 있어서 좋다.

　그리고 그곳이 학교여서 더욱 좋다."

　　　　내가 사랑하는 학교

B

당신은 이 글의 저자인 동시에 독자입니다. 저자인 나와 독자인 나는 만날 때마다 새로운 이야기를 만들어 갑니다. 지금 이 글을 읽는 당신의 생각을 여기에 더해보세요. 그것은 내 손을 떠난 글에 새로운 생명과 생기를 불어넣는 일입니다.

내가 사랑하는 학교

B

교사로서 우리의 이야기를
어떻게 써 내려갈까요?

우리를 둘러싼 환경을
고려하였을 때, 자신의 교육철학을
실현하기 위해 집중할 일 혹은
해결할 문제를 찾아봅니다.

진심어린
말과 글과 행동

대화한 날_ 2023. 11. 15.

완성한 날_ 2023. 12. 1.

진심어린 말과 글과 행동

나는 작은 시골 초등학교 교사다. 올해로 교사 경력 25년째. 어느새 교사로 살아온 날이 교사로 살아갈 날보다 많아졌다. 눈치, 코치가 쌓일 대로 쌓였고 관리자들과의 농담 따먹기도 별로 어렵지 않은 나이가 되었다. 종종 교사로서의 과거의 나를 떠올리면서 지금 알고 있는 것들을 그때도 알았더라면 이런저런 실수는 하지 않았을 터라고, 생각하며 지금의 내 모습에 자부심을 느낄 때도 있다. 경력이 쌓인 상태에서 작은 학교에 근무하게 되니 몸과 마음에 여유도 더욱 생기고 주어진 많은 예산으로 여러 가지 다양한 행사를 계획하여 추진하는 것도 즐겁게 감당하게 되었다. 10명 이하의 학급 학생들은 한눈에 들어오고 동학년도 없으니 내가 원하는 대로 교육과정을 재구성해서 얼마든지 운영할 수 있는 상황이다. 매년 반복되는 비슷한 학교생활대로 퇴임할 때까지 그럭저럭 지낼 수 있을 것 같다. 그런데 사람은 끊임없이 성장하고 싶은 존재인가 보다. 한 인간으로서도 그렇고 자신의 직업 안에서도 성장을 추구한다. 현재와 비슷하게 미래에도 살면 되지 않나 싶다가도 조금 더 나은 존재로 성장하고 싶고, 조금 더 나은 교사로 성장하고 싶은 마음이 꿈틀댄다. 정신없이 바쁘게 학교생활을 하다 보면 왜 내가 이렇게까지 해야 하지? 퇴임하면 모두 사라질 것들인데 라는 생각이 들다가도 마음을 가다듬고 다시 깊이 생각해 보면 교사로 살아가는 하루하루가 소중하고 나에게로 부터 나오는 것들로 학교와 교실을 좀 더 아름답게 가꿀 수 있지 않을까 하는 꿈을 꾸게 된다. 이곳에서 나로 살며, 나는 무엇을 할 수 있고 무엇을 해야 할까.

진심어린 말과 글과 행동

나는 내가 가르치고자 하는 가치들이 내 말과 글과 행동에서 자연스럽게 드러나면 좋겠다. 매일 함께하는 우리 반 아이들에게 속이 빈말을 해주고 싶지 않다. 거짓의 행동을 보여주고 싶지 않다. 내 삶이 곧 교육과정이 되면 좋겠다. 대단히 힘들고 무거운 책임이 느껴지는 생각이지만 내가 꿈꾸는 교실의 모습은 그렇다. 그래서 만약 그것을 진심으로 느낀 누군가가 나도 우리 선생님을 닮고 싶다, 나도 우리 선생님처럼 살고 싶다고 한다면 얼마나 보람(어떤 일을 한 뒤에 얻어지는 좋은 결과나 만족감. 또는 자랑스러움이나 자부심을 느끼게 해 주는 일의 가치)되고 뿌듯(기쁨이나 감격이 마음에 가득 차서 벅차다)할까? 말과 글과 진심 어린 행동이야말로 사람의 마음을 움직이는 것 중 최고이지 않나 싶다. 과거의 나만 돌아보아도 자신이 말하는 가치를 삶 속에 투영하며 살아내시는 분들을 보면서 그분들을 닮고 싶다고 생각해 왔다. 그대로 똑같이 살아내지는 못하여 부끄러울 때도 많지만 포기하지 않고 조금씩 조금씩 닮아가려고 노력해 왔다. 내가 닮고 싶은 분들의 공통점은 그분들의 말과 글과 행동이 일치한다는 점이다. 말로 자기 생각을 풀어내고, 글로 자신이 할 말을 담아내며, 말과 글에서 주장했던 가치를 행동으로 묵묵히 옮기는 사람들의 삶이란 얼마나 경이로운지! 지난날들을 돌아볼 때 한없이 부끄러워진다. 얼마나 많은 말들을 실없이 했었는지. 살아내지도 못하면서 결심을 얘기하고, 깨달은 것들을 얘기했었는지. 아무리 좋은 이야기도 살아내지 못했을 때 연기처럼 사라지는 경험을 얼마나 많이 했었는지 반성하게 된다. 그리고 내 생각을 말과 글과 행동으로 표현할 수 있는 가장 적합의 장소가 바로 제자들 앞임을 다시 확인하게 된다. 그럼 내가 꿈꾸는 나로 살기 위해 나는 어떻게 살아갈 것인가?

다음은 윤동주 시인의 서시다.

죽는 날까지 하늘을 우러러

한 점 부끄럼이 없기를,

잎새에 이는 바람에도

진심어린 말과 글과 행동

나는 괴로워했다.

별을 노래하는 마음으로

모든 죽어 가는 것을 사랑해야지

그리고 나한테 주어진 길을

걸어가야겠다.

오늘 밤에도 별이 바람에 스치운다.

시의 첫 구절처럼 교사로 사는 날까지 하늘을 우러러고 싶다. 시인처럼 하늘을 우러러 한 점 부끄럼이 없이 살고 싶다는 결심은 내겐 너무 어렵지만 시시때때로 하늘을 우러러 내 삶이 바로 가고 있는지, 내가 아이들에게 올바른 가치를 전해 줄 수 있는지 점검하고 확인하고 싶다. 교사로서 또 인생 선배로서 반드시 가르치고 전수해야 할 것들이 내 안에 잘 세워져 있는지 각성하고 성찰하는 일이 나에게는 가장 중요한 첫걸음이자 계속 걸어가야 할 걸음이다. 그리고 그것이 말과 글로 표현되려면 다양한 좋은 글을 많이 읽어야 한다고 생각한다. '책 속에 길이 있다'라는 명언은 실제이다. 독서를 통해 길을 찾고, 가치를 배우고 싶다. 다음은 최복현 박사가 제시한 독서를 해야 하는 이유이다. 무척 공감되는 내용으로 다음과 같다.

첫 번째는 '생각하는 힘'을 기를 수 있기 때문입니다. 책을 읽으면서 다양하고 무한한 상상의 세계를 만들어 볼 수 있게 됩니다. 독서를 통해 생각하는 힘을 키울 수 있는 겁니다.

두 번째는 '논리의 힘'을 키울 수 있습니다. 우리 주변을 보면 말을 정말 잘하는 사람들을 볼 수 있을 겁니다. 말을 잘한다고 논리적인 것은 아닙니다. 논리적으로 말을 잘하기 위해서는 결국 책을 많이 읽어야 가능해질 겁니다. 독서는 논리를 길러주는 좋은 친구가 틀림없습니다.

세 번째, '멘토'를 만날 수 있습니다. 어떤 책은 인생에 있어서 멘토가 되기도 하지만 어떤 책은 독이 되기도 합니다. 멘토는 현명하고 성실한 조언자, 지혜와 신뢰로 한 사람의 인생을 이끌어 주는 지도자, 스승, 보호자 등의 역할을 하는 이를 말합니다. 책을 고르는 일은 정성과 시간을 투자하면 얼마든지 좋은 책을 고를 수 있고 찾아낼 수 있기 때문에 훌륭한 멘토를 만날 수 있는 겁니다.

네 번째, '지식의 힘'을 기를 수 있습니다. 독서의 가장 근본적인 이유가 바로 지식을 얻는 겁니다. 어떤 측면에서 본다면 학교에서 습득하는 지식보다 더 많은 지식을 얻을 수 있는 게 책일 수도 있습니다.

다섯 번째, '통섭'으로 갈 수가 있습니다. 다양한 지식이 있어야 다양한 시각으로 세상을 볼 수 있을 겁니다. 다양한 지식은 결국 독서를 통해서 가능합니다. 정말 통섭을 원한다면 다양한 분야의 책을 읽으면 가능할 겁니다.

여섯 번째, '상상력'을 키울 수 있습니다. 상상의 세계는 많은 책이 탄생할 수 있게 했습니다. 예술, 건축 등 모든 분야의 발전에 상상의 세계를 책으로 출간해 현실화시키고 있습니다. 우리는 이와 같이 독서를 하면서 상상의 날개를 활짝 펼쳐야 됩니다. 그것을 통해 새로운 세상이 탄생할 수 있고, 무한한 상상의 세계가 세상을 바꾸게 됩니다.

일곱 번째, '창의력'을 키울 수 있습니다. 창의력이란 상상을 통해 얻은 사고를 개념화하는 일입니다. 상상력을 통해 그린 그림을 개념화시켜 가시화를 해가는 게 창의력이라 할 수 있습니다. 책을 통해 상상의 세계와 창의력의 결과물을 도출할 수 있습니다.

여덟 번째, '카타르시스'를 경험할 수 있습니다. 독서의 목적 중 하나가 바로 '카타르시스'를 느끼는 것입니다. 희로애락(喜怒哀樂)을 가져다주는 게 바로 책이라 할 수 있습니다. 책을 통해 기쁨과 슬픔과 사랑과 즐거움이 가슴 속에 남게 되는 겁니다.

아홉 번째, '자기 발견'을 할 수 있습니다. 독서를 통해 자기 자신을 만나볼 수 있습니다. 나는 어떤 사람인가, 나는 어떻게 살아가야 될까, 내가 하는 행동이 과연 올바른 것일까 등등의 문제를 발견하고 해결 방법을 찾을 수 있습니다. 결국 책은 나를 비추어주는 거울과도 같은 역할을 해주고 있습니다.

열 번째, '표현의 즐거움'을 얻을 수 있습니다. 독

서는 우리에게 생각하는 힘을 길러주고 자기를 발견하게 해 줍니다. 이런 즐거움을 오랫동안 지속하기 위해서는 그것을 정리할 수 있는 힘이 있어야 합니다. 독서의 최종 목적은 글을 쓰는 겁니다. 저는 강연 때마다 책을 읽는 독자에서 책을 쓰는 저자가 되는 것을 본인들의 버킷 리스트에 꼭 집어넣기를 권하고 있습니다.

열 번째 이유, 독서의 최종 목적은 글을 쓰는 것이라는 말이 가장 마음에 와닿는다. 내 생각을 막힘없이 글로 표현하려면 독서가 절실하다. 그런데 요즘 내 생활(내 생활뿐만 아니라 현대인을 살아가는 사람들의 생활)을 돌아보면 독서를 방해하는 것들이 참 많다. 나 같은 경우 드라마나 영화 보기도 좋아하고, 다양한 취미생활 즐기는 것을 좋아하며 운동도 해야 하고 모임도 다양하다. 의미가 없는 것들은 없지만 독서할 시간을 빼앗기는 것은 분명하다. 말과 글과 행동에 일치를 이루기 위해 하늘을 우러러봐야 할 대목이다.

요즘 내 주변에 글을 쓰는 모임이 많아졌다. 금산 선

생님들이 만든 전문적 학습 공동체 글쓰기 모임도 있고, 교회에서도 예수동행일기 모임이 있다. 이음연구소가 주관하는 글쓰기 연수도 몇 번 받아보았다. 반 아이들과도 몇 해 전부터 주제 글쓰기를 해오고 있다. 내가 언제 글을 쓰는지 돌아보니 나는 도무지 스스로는 글을 쓰지 않는다는 것을 알게 되었다. 어렸을 때부터 지금까지 타의에 의해서 글을 써 왔다. 내 글의 독자가 나만일 때는 거의 없었다. 시도는 몇 번 해 보았지만 쓰는 게 재미없고 지루했던 것 같다. 누군가가 내 글을 읽는다고 생각될 때 글이 훨씬 잘 써졌다. 그런데 간혹 글을 쓰지 않아서 유독 아쉬울 때가 있다. 누가 읽지 않더라도 글을 쓰고 싶다는 강한 유혹에 빠질 때가 있는데 바로 삶의 희로애락을 느꼈을 때다. 삶은 정말이지 다채롭고 신비로운 여정이다. 생각대로 흘러가지 않을 때 느껴지는 묘미(미묘한 재미나 흥취)란 글쓰기의 아주 좋은 주제가 된다. 그 순간을 마주했을 때 잊고 싶지 않아서 남겨둘 수 있는 무언가를 찾으면 그것이 바로 '글'이라는 것을 깨닫게 된다. 한 장의 사진이나 영상

으로는 어림도 없다. 글만이 줄 수 있는 생생함과 힘이 있다는 것을 알게 된다. 그때가 바로 글쓰기에 가장 좋은 때인데 그것을 놓치고 아쉬워한 지난날들이 너무 많았다. 하루를 다 끝내고 잠자리에 눕기 전 쓰는 글보다는 생생한 감정이 고스란히 남겨져 있는 순간에 바로 쓰는 것이 가장 좋은 것 같다. 바쁜 일상 중 완성된 글을 쓰지 못할지라도 있었던 일과 감정들 정도는 메모해 두었다가 글을 써보도록 하자. SNS에 남겨도 좋다.

올해 글쓰기의 즐거움을 깨닫도록 해 주었던 것 중 또 다른 하나는 제자들의 글을 읽고 답글을 달아주는 일이었다. 제자들이 써 온 글들은 너무나도 재미있었다. 아이들이 하교하고 혼자 교실에 남아 글을 읽으며 깔깔거리고 웃었던 적이 여러 번이었다. 글 밑에 답글을 달아주면 아이들은 눈을 빛내며 내 글을 읽는다. 나의 답글을 많이 기다리는 눈치다. 글을 통해 교감이 이루어지는 순간이다. 또 동그랗게 둘러앉아 자신이 써 온 글을 소리 내어 읽는 제자들을 보는 것도 행복했다. 좋은 긴장감과 설렘이 느껴졌다. 나도 내 글을 읽었다. 내 글을 우리 제자들과 나눌 수 있는 그 순간이 참 즐거웠다.

　　앞으로 계속 글을 쓰고 싶다. 제자들의 글도 계속 읽고 싶다. 바쁜 학교생활이지만 반드시 해야 할 독서, 글쓰기를 지속해서 해가고 싶다.

　　나 하나 꽃피어

　　　　　　　　　　조동화

　　나 하나 꽃피어

　　풀밭이 달라지겠냐고

　　말하지 말아라네가 꽃피고 나도 꽃피면

　　결국 풀밭이 온통

　　꽃밭이 되는 것 아니겠느냐

　　나 하나 물들어

　　산이 달라지겠냐고도

　　말하지 말아라

　　내가 물들고 너도 물들면

진심어린 말과 글과 행동

결국 온 산이 활활

타오르는 것 아니겠느냐

오늘보다 내일 더 나은 교사로 살고 싶은 나는 그 방법으로 말과 글과 진정성 있는 행동을 생각해 내었다. 영향력 있는 말을 하고 글을 쓰려면 독서와 함께 하늘을 우러르는 자아 성찰이 있어야 할 것이다. 그러할 때 나 혼자 있을 때도, 제자들과 함께 있을 때도 진정성 있는 행동이 자연스럽게 배어 나오게 될 것이다. 네가 꽃 피기만을 바라며 다른 사람에게 눈을 흘기기보다, 내가 꽃 피우기 위해 꽃 몽우리를 펼치는 노력을 하는 나로 살기를 꿈꿔 본다.

"나는 내가 가르치고자 하는 가치들이

　내 말과 글과 행동에서

　자연스럽게 드러나면 좋겠다."

진심어린 말과 글과 행동

B

당신은 이 글의 저자인 동시에 독자입니다. 저자인 나와 독자인 나는 만날 때마다 새로운 이야기를 만들어 갑니다. 지금 이 글을 읽는 당신의 생각을 여기에 더해보세요. 그것은 내 손을 떠난 글에 새로운 생명과 생기를 불어넣는 일입니다.

진심어린 말과 글과 행동

돌아보다 그리고 바라보다

저자_ 최선희
발행_ 2023. 12. 25.

펴낸이_ 이상수
펴낸곳_ beside books
출판사등록_ 제561-2022-000043호(2022. 5. 17.)
주소_ 경기도 수원시 영통구 영통로200번길 21
전화_ 010-2853-2423
인스타그램_ instagram.com/beside.books
편집 / 디자인_ 서현지 이경준 정휘범

ISBN_ 979-11-92865-20-1

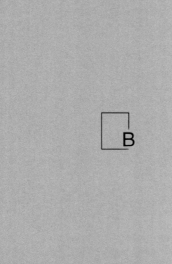